- HERGÉ -

ANTURIAETHAU TINTIN

ALAW'R DŴR

ADDASIAD
DAFYDD JONES

dalenllyfrau.com

Tintin: Alaw'r Dŵr yw un o nifer o lyfrau straeon stribed gorau'r byd sy'n cael eu cyhoeddi gan Dalen yn Gymraeg ar gyfer darllenwyr o bob oed. I gael gwybod mwy am ein llyfrau, cliciwch ar ein gwefan **dalenllyfrau.com**

Tintin o gwmpas y Byd

Affricaneg Human & Rousseau
Almaeneg Carlsen Verlag
Arabeg Elias Modern Publishing House
Armeneg Éditions Sigest
Asameg Chhaya Prakashani
Bengaleg Ananda Publishers
Catalaneg Juventud
Cernyweg Dalen Kernow
Corëeg Sol Publishing
Creoleg Caraïbeeditions
Creoleg (Réunion) Epsilon Éditions
Croateg Algoritam
Cymraeg Dalen (Llyfrau)
Daneg Cobolt
Eidaleg RCS Libri
Estoneg Tänapäev
Ffinneg Otava
Ffrangeg Casterman
Gaeleg Dalen Alba
Groeg Mamouthcomix
Gwyddeleg Dalen Éireann
Hindi Om Books
Hwngareg Egmont Hungary
Indoneseg PT Gramedia Pustaka Utama
Isalmaeneg Casterman

Islandeg Forlagið
Latfieg Zvaigzne ABC
Lithwaneg Alma Littera
Norwyeg Egmont Serieforlaget
Portiwgaleg Edições ASA
Portiwgaleg (Brasil) Companhia das Letras
Pwyleg Egmont Polska
Rwmaneg Editura M.M. Europe
Rwsieg Atticus Publishers
Saesneg Egmont UK
Saesneg (UDA) Little, Brown & Co (Hachette Books)
Sbaeneg Juventud
Serbeg Media II D.O.O.
Sgoteg Dalen Alba
Siapaneg Fukuinkan Shoten Publishers
Slofeneg Učila International
Swedeg Bonnier Carlsen
Thai Nation Egmont Edutainment
Tsieceg Albatros
Tsieinëeg (Cymhleth) (Hong Kong) The Commercial Press
Tsieinëeg (Cymhleth) (Taiwan) Commonwealth Magazines
Tsieinëeg (Syml) China Children's Press & Publication Group
Twrceg Inkilâp Kitabevi

Cyhoeddir Tintin hefyd mewn nifer o dafodieithoedd

Le Lotus Bleu
Hawlfraint © Casterman 1946
Hawlfraint © y testun Cymraeg gan Dalen (Llyfrau) Cyf 2016

Cyhoeddwyd yn unol â chytundeb ag Éditions Casterman
Cyhoeddwyd yn gyntaf yn 2016 gan Dalen (Llyfrau) Cyf, Glandŵr, Tresaith, Ceredigion SA43 2JH
Mae Dalen yn cydnabod cefnogaeth ariannol Cyngor Llyfrau Cymru
ISBN 978-1-906587-67-3

Argraffwyd ym Lithwania gan Standartų Spaustuvė

ALAW'R DŴR
藍蓮花

Y DIWEDDARAF AM TINTIN

Mae Tintin a Milyn ill dau yn yr India, yn westeion i Maharaja Pajamagoulan. Yn y palas, mae'r ddau'n ymlacio'n haeddiannol yn dilyn antur *Mwg Drwg y Pharo*, mewn sicrwydd fod smyglwyr cyffuriau'r antur honno i gyd dan glo – i gyd ac eithrio un. Syrthiodd pennaeth di-enw'r smyglwyr i'w dranc wrth droed clogwyni geirwon, ac ni chafwyd byth hyd i'w gorff. Parhau mae'r chwilio am atebion i rai cwestiynau pwysig: beth yw effaith hir-dymor y gwenwyn gwallgof Raijajah? Ble oedd pen taith y cyffur opiwm a oedd ynghudd yn y cratiau sigars? A phwy oedd pennaeth smyglwyr *Mwg Drwg y Pharo*?

'Sdim llonydd i'w gael y unman! A nawr mae e wedi dechre potshan gyda'r radio!

Dyma hi 'to! Y donfedd ddarlledu ryfedd 'na...

Does dim synnwyr i'r neges yma... Oes 'na unrhyw ystyr iddi?

Dedwydd reithor gyntaf dagur nwdls ydy dadi'r urdd unigol amharchus. Seithfed rwdan edrych islaw a'i thrwydded.

Rhaid fod rhyw ystyr...

Mae'r neges wedi'i darlledu ar linell gorllewin de-orllewin i'r dwyrain ogledd-ddwyrain, ar hyd tonfeddi Pajamagoulan.

Tintin Sahib, mae'r Maharaja yn deisyf eich gweled.

Diolch, rwy'n dod.

Tintin annwyl... Rwyf wedi gwahodd y ffacir enwog P'huynunup'hnol i ddod ac arddangos ei ddoniau rhyfeddol.

Diddorol iawn, rwy'n edrych ymlaen i'w weld...

Hei, ti'n cofio'r ffacir dwetha gethon ni?

Mae e'n anhygoel!

Ydy, yn wir...

Rŵan, gyda chaniatâd eich mawrhydi, gwnaf ddarogan y dyfodol...

Gwych!

Eisteddwch...

Diolch.

AW!

?

?

Pwy feiddia roi clustog o dan fy mhen-ôl?

!

Maddeuwch i mi... Mae gen i ben-ôl tyner.

CLAP CLAP CLAP

Rŵan... Mi welaf fod antur yn eich hanfod... Rydych eisoes wedi wynebu peryglon mawr... Ond rydych yn ŵr dewr ac... O ragluniaeth!... Mae'r cymylau'n trymhau...

Gwelaf elyn - un a dybiwyd ei fod yn farw! Ond y mae am ddial... Gochelwch rhag hwn!

Gwelaf hefyd ffacir, gwarth ar ein brawdoliaeth, yn rhwym i'ch difa. Y mae'n agos atoch... yn agos iawn, yn clustfeinio... Y mae yn ei feddiant erfyn dychrynllyd, nad oes amddiffyn rhagddo.

Byddwch yn wyliadwrus... Gwelaf ŵr arall, melyn ei groen, du ei wallt... Y mae'n gwisgo sbectol... Rhaid i chi gymeryd gofal mawr! Tyngwyd llw er eich difa!

Tintin Sahib, daeth dieithryn yn holi eich enw. Mae'n disgwyl amdanoch, ac yn dweud iddo deithio yr holl ffordd o Shanghai i'ch cyfarfod.

O Shanghai?

O Shanghai? Tipyn o bellter i ddod i ngweld i... Rhyfedd iawn, Milyn.

Chwi yw Mistar Tintin?

Fi? Wel, ie...

Melyn ei groen, du ei wallt, yn gwisgo sbectol... Gwylia dy hun, Tintin!

Rwy'n dyfod â neges bwysig i chwi. A ydyw'n ddiogel i ni siarad yn y fan yma?

Ydy, yn berffaith ddiogel, does neb arall...

哇

?

Saeth wenwyn sur y Rajajah... Y gwenwyn gwallgo!

Pwy bynnag wnaeth ei saethu, mae e wedi ffoi...

Brysiwch! Dwedwch, beth yw eich neges?

O... ie... rwy'n cofio...

Mitsutani... mae e eisiau... yn Shanghai... Cofiwch yr enw, Mitsutani... Mitsu... Mitsutani...

A beth arall?

♪ NING ♫ NANG ♩ NONG ♩

Druan ag e... Y gwallgofrwydd!

TINTIN!

!

Fe gofiwch y ffacir i mi ei garcharu, yr un fu'n saethu dartiau gwenwyn? Wel, mae e wedi dianc!

Dyna ni, felly...

Edrychwch... Y gwenwyn gwallgo!

WOWOW!

WOWOW!

Myn Brahma! Y gwallgofrwydd!

Rhaid i mi deithio i Tsieina ar fyrder... Gwnaeth y gŵr yma lwyddo i ddweud fod galw amdana i yn Shanghai.

Dere i ni gasglu ein pethe...

Gwelaf elyn - un a dybiwyd ei fod yn farw! Ond y mae am ddial...

Cawn ni weld am hynny!

Hei, i ble ddiflannodd Milyn?

Milyn?... Milyn?...

Milyn!...

MILYN!

Mam fach!... Beth os oes rhywun wedi ei gipio fe?

Ydych chi wedi gweld Milyn?

Milyn?... Naddo...

Ewch chi draw fan'na i chwilio, tra 'mod i'n chwilio fan hyn...

Dim byd, Sahib...

Dim sôn amdano.

Rhaid eu bod "nhw" wedi'i gipio!

Ychydig oriau'n ddiweddarach...

Mae eich eiddo yn cael ei gludo yma nawr... Ydych chi'n bendant am fynd?

Rwy mewn dau feddwl heb Milyn...

Gwych iawn!... Dwedwch wrth y negesydd nad oes angen i'w feistr ddod yma - fe ddof i draw i'w gartref ar Rodfa Rhyd y Clymog.

Sgwn i sut glywodd Mistar Mitsutani 'mod i wedi cyrraedd... Beth bynnag, mae e'n amlwg yn ŵr â moesau heb eu hail...

Ydy pobol Japan yn bobol ffeind, Tintin?

Mistar Mitsutani, Rhodfa Rhyd y Clymog.

Y cythral bach o Tsieina!... Yn meiddio taro dyn gwyn!

Diolch i chwi, syr, am fy achub...

Mistar Tintin, feistr...

Dowch ag o i mewn.

Mistar Tintin annwyl, rhaid i chi ddychwelyd i'r India yn ddiymdroi - mae Maharaja Pajamagoulan mewn peryg. Gyrrais gennad o Tsieina i'ch rhybuddio — oni lwyddodd gyfleu'r neges?

Wel, fe lwyddodd eich enwi chi a dinas Shanghai, cyn cael ei daro gan saeth wenwyn - yna, dim ond dwli di-synnwyr...

Melltithier hwy fu'n gyfrifol am hynny — mae eu dulliau'n rhai dieflig — pwy a ŵyr beth a ddigwydd i'r Maharaja yn eich absenoldeb!...

Pwy ydyn "nhw"?

Maddeuwch i mi, ond byddwn yn peryglu fy mywyd fy hun petawn yn datgelu hynny... Ond rwy'n erfyn arnoch i ddychwelyd i'r India.

Diolch i chi... Fe wna i drefnu i fynd nôl ar unwaith, wedi i fi anfon neges yn rhybuddio'r Maharaja.

Rhagorol... Dylwn eich rhybuddio chi hefyd, er eich lles eich hun, y byddwch yn ŵr doeth i ddrwgdybio pawb yma - yn enwedig gwŷr Tsieina.

Sut fedrwch chi ddweud hynny?

Gŵr o Japan ydw i, syr, ac fe ŵyr gwŷr Japan bopeth.

Hmm, mae hi braidd yn agored fan hyn...

Odi, ti'n reit!

Ond credwch fi...

A crêd ti fi, gwboi – cau dy ben cyn bo fi'n mynd yn grác!

A thrannoeth...

S'mae Gibwn!.. Wyt ti'n cofio'r hogyn smala 'na? Wel, mae o gynna fi yn fa'ma – wedi'i restio gin y patrôl neithiwr...

I'r dim! Be wnewch chi efo fo?.. Beth? Ei ollwng o'n rhydd?.. Ond... O, reit, wela i, cyfrwys iawn... Diolch 'rhen gyfaill... Hwyl!

Gyda llaw, wyddoch chi'r hogyn ddaru gael ei daflud i'r gell neithiwr? Wel, mi nath o waldio un o'r heddweision nath ei restio fo... 'Swn i'n deud ei fod o'n haeddu profi 'chydig o'i ffisig ei hun...

Deall yn iawn, syr!

CLIC CLAC

CLANG

Torri ei grib o, dyna'r oll sydd angen ei neud...

BWMP

BANG

DING

BWMP

Helo?... Ie, ambiwlans... Yn iawn, ar unwaith, i garchar Sant Iago... mae e ar y ffordd...

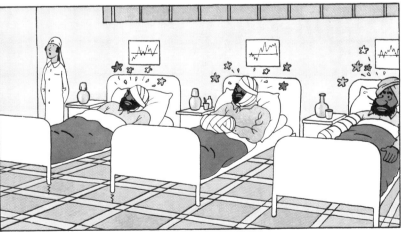

Roedden nhw'n gwybod yn iawn 'mod i'n ddieuog, tra bod rhywrai peryglus yn cerdded y strydoedd...

Telegram i chi, Mistar Tintin, ynghyd â llythyr a pharsel...

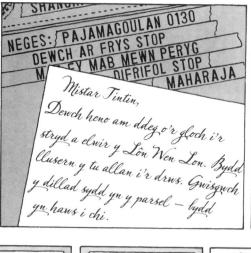

SHANGH...

NEGES: PAJAMAGOULAN 0130 DEWCH AR FRYS STOP ...EY MAB MEWN PERYG ...DIFRIFOL STOP MAHARAJA

Mistar Tintin,
Dewch heno am ddeg o'r gloch i'r stryd a elwir y Lôn Wen Lon. Bydd llusern y tu allan i'r drws. Gwisgwch y dillad sydd yn y parsel – bydd yn haws i chi.

Dyma ddirgelwch... Beth ddaw nesa, tybed?

Gwenwyn?... Nage, mae ei galon yn dal i guro... Rhyw gyffur wedi'i roi mewn trwmgwsg?...

Y te! Rhaid ei fod e wedi yfed y te wnaeth ddiferu dros y llawr... Ond... Ond...

BANG

Y gwn yn saethu wnaeth fy achub!... Tasen i wedi yfed y te...

Cysga di, Milyn, a byddi di'n teimlo'n well. Bydda i nôl cyn hir...

Y Lôn Wen Lon?

Dyma ni... Diawch, mae golwg di-raen ar y lle...

Ond peidiwch â phryderu, dim ond torri eich pen i ffwrdd!

Mae e off ei ben!

CHWIIP

Bydd y cyfan drosodd mewn eiliad...

Wrth gwrs! Mae ôl saeth wenwyn Rajjajah ar gefn ei wddwg... Rhaid ei helpu!

Syr, fe wnes i ddod o hyd i'r truan gwallgof 'ma... Fedrwch chi edrych ar ei ôl?

Yn ddiogel yn nwylo'r heddlu, ond dydw i ddim callach!

Drannoeth...

RANCHI

RANCHI YN MORIO I BOMBAY HEDDIW AM 11.00 O'R GLOCH

Mistar Tintin!

Wel, Mistar Mitsutani!

Clywais eich bod ar fin ymadael, felly dyma ddod i ddymuno rhwydd hynt i chi ar eich taith.

Diolch – a gadewch i mi ddymuno'n dda i chi hefyd.

Wel, dyna ni heb ddysgu rhyw lawer yn Shanghai...

TŴŴŴT

Weli di'r hogyn yn syllu allan i'r môr? Wel, dyna fo!

Reit dda...

14

Y noson honno...

Dere, Milyn, beth am gael wâc fach rownd y dec?

Ie, ie, cer di mlaen...

!

Iawn, digon... Gobeithio wnest ti ddim defnyddio gormod o'r clorofform.

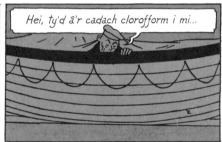

Hei, ty'd â'r cadach clorofform i mi...

PLOP

?

BING BONG BÉI

Digon... Nawr amdani!

SBLASH

Reit, dyna'r arwydd...

Dewch i ni weld...

Dyma nhw'r cratiau...

Welwch chi, mae'r sampan yn dod yn ôl.

A gyda'r wawr...

Fedri di wneud synnwyr o'r cyfan, Milyn? Morio tua Bombay neithiwr, a nawr yn deffro fan hyn!

Beth yn union yw'r lle ma?

Dere i ni holi...

Gwych! Dyma rhywun a all ddweud...

Esgusodwch fi, ond...

GWALLGOFDDYN SHANGHAI!

Ddaethoch chi o hyd i'r ffordd?.. Naddo?.. Gwnaf yn iawn am hynny trwy dorri eich pen i ffwrdd!..

Eto!

Hoian!.. Atal dy law!..

Ymaith â thi, a byhafia!

Iawn, Tada...

Gadewch i mi gyflwyno fy hun: Wang Jen-Ghié, tad y cyfaill gwallgof druan. Ein gelynion wnaeth ymosod arno a'i yrru'n wirion ar y noson y trefnwyd iddo gyfarfod gyda chi yn Shanghai. Eich gwarchod chi oedd ei orchwyl.

Rwy'n gweld!

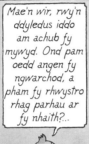

Mae'n wir, rwy'n ddyledus iddo am achub fy mywyd. Ond pam oedd angen fy ngwarchod, a pham fy rhwystro rhag parhau ar fy nhaith?...

Ymddiheuriaf yn wylaidd am eich cipio - ond neges ffug oedd yr un yn eich galw nôl i'r India. Bwriad fy mab oedd esbonio'r cyfan i chi y noson honno, a gofyn i chi oedi'n hwy yn Shanghai. Ysywaeth, ni fu modd iddo gyflawni'r neges cyn i chi forio. Ond rhaid i chi aros yma yn Tsieina...

Aros yn Tsieina?... Ond pam?...

Dewch gyda mi, ac mi fydd yn haws deall...

Aros fan hyn, Milyn, dyna gi da...

Dyma'r cyfaill a fydd yn fodd i'n gwaredu...

Nawr, Mistar Tintin, yr esboniad i chi...

Rydych yma ym mhencadlys Meibion y Fflam, cymdeithas gyfrin a dynghedwyd i'r frwydr yn erbyn opiwm, y cyffur dieflig sy'n difetha ein gwlad. Gŵr o Japan yw ein gelyn pennaf, ac mae ei enw'n hysbys i chi - Mistar Mitsutani...

Mitsutani?...

Ho! Mi fedra i bracteisio ar hwn!

Beth ma'r bachan hyn eisie?

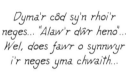

Na, nid yw Mitsutani yma eto, ond mi fydd o'n cyrraedd cyn hir. Dilynwch fi.

Mi wna i aros yn fa'ma...

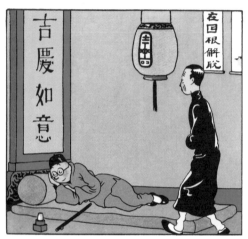

Croeso, feistr. Mae yna ŵr yn disgwyl amdanoch...

Mi wn, diolch.

Dyma $5,000 yn flaendal, ac mi gei di'r un faint eto pan fydd y gwaith wedi'i neud. Ond cofia di, os wyt ti'n yngan un gair am hyn, dyna fydd y diwedd i ti!... Wyt ti'n dallt?... Iawn, i ffwrdd â ni.

Nos da, feistr.

I mewn.

Ydy'r cyfan gen ti?

Gofalus!...
Rŷn ni yma.

Rŵan... Ati!...

Diawch, mae'n oer!
Be maen nhw'n
neud? Symud
at fan cysgodol?
Be sy'n...

Perffaith!

Gorsaf Tu'ni Tsiaen? Mae terfysgwyr
wedi difrodi'r lein ger
cyffordd 123.

Fi'n mynd i
ddal annwyd!

TISHWŴŴ!

!   ?

Mae 'na rywun yno!...
Ysbïwr!...

BANG

Os fedra i gyrraedd y car...

Iawotokatomato!... Tintin!

Y Weinyddiaeth Ryfel Stop Mae terfysgwyr o Tsieina wedi ffrwydro'r rheilffordd rhwng Shanghai a Nanking...

Dim difrod difrifol i unrhyw eiddo Stop

Dim byd difrifol? Cawn weld am hynny...

Dyma Radio Tokyo! Nid oes terfyn ar warth y terfysgwyr yn Tsieina! Bu ymosodiad ar y rheilffordd rhwng Shanghai a Nanking...

Ar ôl difrodi'r traciau â ffrwydron...

... ymosododd y terfysgwyr ar deithwyr trên diniwed...

Mae adroddiadau i deithwyr gael eu lladd wrth amddiffyn eu hunain.

Bu farw deuddeg o Japan...

... a dihangodd dros gant o derfysgwyr yn dilyn y weithred.

Utgorn Tokyo!... Rhifyn arbennig!... Ymosodiad rheilffordd terfysgwyr o Tsieina! Degau yn farw!

Gwae ni yn Japan rhag esgeuluso ein dyletswydd fel gwarcheidwaid trefn a gwareiddiad yn y Dwyrain Pell... Gogoniant fydd i'n milwyr dewr wrth amddiffyn buddiannau ein gwlad!

Eto drachefn, cyflawnwyd gan Japan ei dyletswydd wrth warchod cyfraith, trefn a gwareiddiad yn y Dwyrain Pell! Ac os trwy orfodaeth, yn groes i bob greddf, y bu i ni yrru milwyr i Tsieina, yna er lles Tsieina ei hun y gwnaed hynny!

Peidiwch â deud na wnes i mo'ch rhybuddio... Chi sydd ar fai am sticio'ch trwyn bach smwt i mewn i fusnas Tsieina!...

22

Dylsa Tintin fod wedi dychwelyd ers meityn...

Ble ddiawch mae e, gwedwch!

Ewch chitha nôl i Shanghai yn fy nghar i... Mae gin i 'chydig fusnas i'w orffen efo'r hogyn busneslyd 'cw!

Rwy'n gaeth yn y stafell 'ma... Be maen nhw'n bwriadu neud 'da fi?

Mistar Tintin, annwyl, maddeuwch i mi am yr holl oedi...

Beth ŷch chi'n mynd i neud 'da fi?

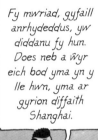

Fy mwriad, gyfaill anrhydeddus, yw diddanu fy hun. Does neb a ŵyr eich bod yma yn y lle hwn, yma ar gyrion diffaith Shanghai.

Dyma chi, ar fy nhrugaredd, a neb arall ar gyfyl y lle i'ch achub... Ond na phoener, does gen i ddim bwriad eich lladd – i'r gwrthwyneb, rwy'n bwriadu eich gollwng â'ch traed yn rhydd...

!

Esgusodwch fi am un funud fach...

Ond... wel, wrth gwrs...

Dôn i wir ddim wedi disgwyl hyn...

Wyddoch chi be 'di hwn?

Y gwenwyn gwallgo!

RAIJA

Dim ond un diferyn bach, ac yna mi wna i'ch gadael yn rhydd...

Daliwch yn llonydd rŵan... Pigiad bach, dyna'r cyfan fyddwch chi'n ei deimlo!

A dyna fo... Nath o ddim brifo, naddo?

Bydd e'n fy hala i'n wallgo!

Ydy Li Wei hefyd yn dal heb ddod adra?

Ddim eto, syr...

Reit, mae'n rhaid i fi ddod o hyd i Tintin!

♪ Un bys, ♪ dau fys, ♪ ♪ tri bys ♪ ♪ yn dawnsio! ♪ ♪

A rŵan, ffwr â chi!

♪ Pedwar bys, pump bys... ♪

Iawotokatomato! Nid y gwenwyn Raijajah yw hwn!

Feistr, mae Li Wei a aeth i wylio tŷ Mitsutani wedi dychwelyd...

Tyrd ag o i mewn!

Roeddwn i 'di cuddiad yn y stafall drws nesa, ac mi wnes i gyfnewid y Raijajah am ddŵr wedi'i liwio - dyma fo'r gwenwyn i chi. Ac mi wnes i gymryd gofal o'r gyllall a'r gwn oedd gynno fo...

Ar ei ôl o... Fedar o ddim fod wedi mynd yn bell...

Dyna fo!...

'Swn i'n tyngu llw mod i 'di llenwi'r gwn felltith... Bid a fo hynny, ma' gin i'r gyllall...

Ond be 'wan?!.. Cyllall degan 'di hon, 'di gneud o rwber meddal!

A dyma rhywbeth caletach i chi, Mistar Mitsutani!

Ymhen awr...

Dinesydd o Japan ydw i, Cyrnol... Gŵr ifanc o Ewrop o'r enw Tintin, ysbiwr ar ran Tsieina, sydd wedi ymosod arna i!

Nawr, rhaid i ni fynd nôl i dŷ Mistar Wang...

GWOBR 5000 YEN

TINTIN

Sdim eiliad i'w cholli... Rhaid i ni ffoi o'r ddinas...

Rhy hwyr! Mae patrôl milwyr o Japan yn gwarchod y porth...

Ond sut alla i ddianc?

?

Chi 'di'r un efo pris ar eich pen!

Brysiwch, cuddiwch!...

Helo?... Beth?... Ond mae'n rhaid dod o hyd iddo! Sut fedar o fod wedi ffoi o'r ddinas?

Diolch!

Diolch i chi am achub fy mywyd...

Tewch â sôn... Fy mrawd i oedd yr hogyn wnaethoch ei arbed rhag y cythraul yna o dramor.

Cyfaill da...

Rargian! Dyna fo, yr hogyn Tintin... Yfo wnaeth fy atal rhag dysgu gwers i'r rafin felltith ar y lôn yn Shanghai!

Be mae o'n neud allan yn fama, 'di gwisgo fatha un o'r brodorion? Taswn i 'di weld o'n gynt, mi fyswn i wedi'i leinio fo efo'r car!

GWOBR 5000 YEN

TINTIN

YSBÏWR

FFRWYDRO'R RHEILFFORDD AC YMGAIS I LOFRUDDIO

1500 YEN

GWYBODAETH

Gwranda arna i, washi! Mi dwi'n gwbod yn union ble mae Tintin!

O'r diwedd!... Roeddwn i wedi dechrau anobeithio!

Celwydd oedd y cyfan - doedd dim golwg o Tintin. Rwy'n eich rhoi dan glo - does gan neb hawl i chwarae efo awdurdod y fyddin!...

Ond, ond...

Mae'r Tintin bach busneslyd yna'n haeddu cael dysgu gwers! Pan ddaw fy nghyfle...

Felly dyma'r gwenwyn trafferthus... Ac oni bai am waith eich gwas chi, bydden i hefyd wedi troi'n wallgo...

AYAYA! OHO! YOP!

? ?

Mae ein mab yn dioddef poen y gwallgofrwydd eto... Ewch ato, da chi!

Misus Wang druan...

Petai moddion i'r gwallgofrwydd... Ond does dim...

Oni bai... Does dim rheswm anobeithio...

Bydd rhaid i mi fentro croesi nôl i'r tiroedd mae Japan yn eu rheoli...

Sychwch eich dagrau, Misus Wang... Fe af i Shanghai fory er mwyn mynd â'r gwenwyn i'w ddadansoddi yn y labordai yno. Falle bydd moddion i wella cyflwr eich mab...

Drannoeth...

Mae hyn yn beryglus, ac mae pris ar eich pen!

Peidiwch â phoeni... Mi fydda i'n ddiogel unwaith gyrhaedda i'r Parth Rhyngwladol yn Shanghai...

Helo? Ie, fi sydd yma... Gyda phwy yr ydw i'n siarad?

Dawson ydw i, Pennaeth yr Heddlu yn y Parth Rhyngwladol... Mae gynnoch chi ŵr o'r enw Gibwn yn y ddalfa... Americanwr ydy o, dyn pwysig... Wel, fasach chi cystal â'i ryddhau o, er mwyn osgoi cur pen i mi?

Yn iawn, ond ar un amod... Rydan ni'n chwilio am ysbïwr o'r enw Tintin — os bydd o'n ceisio lloches yn y Parth Rhyngwladol, rhaid ei drosglwyddo nôl i ni...

Siort ora, Cyrnol! Mi fedrwch chi ddibynnu arna i...

Mi rydach chi'n benderfynol felly?

Ydw, ond peidiwch â phoeni, bydd popeth yn iawn... Rwy'n addo cadw mewn cysylltiad.

Nawr 'te, mae'n rhaid i fi ddod o hyd i ffordd i mewn i'r ddinas...

Ond Tintin 'chan, 'sdim sens neud 'na!

Beth? Yn dal â'i draed yn rhydd?... Cynyddwch y wobr am ddod o hyd iddo, felly, ei ddyblu o 5,000 i 10,000 yen!

Mae 'na gadfridog newydd ar ei ffordd yma ar gyfer archwiliad — rhaid twtio pob dim yn drwyadl, y milwyr, y barics, popeth!

Filwyr... ymlaen!

?

Yn wir, syr, ni chefais gyfle i eillio heddiw...

Pedwar diwrnod ar ddŵr a bara?!... Yn iawn, syr!

Y darn papur?... Ym, rwy'n credu mai cael ei chwythu wnaeth o, syr...

?

Pedwar diwrnod ar ddŵr a bara?!... Ond dim ond darn bach o bapur...

Wyth diwrnod?! Ond... Yn iawn, syr!

Teg, hawddgar a dymunol – ein cadfridog newydd!

Cyrnol, mae yna ŵr bach yma i'ch gweld, yn honni mai ef yw'r cadfridog.

Pryd o dafod sydd angen arno fo!

Ond... Mae'r cadfridog newydd adael...

Ond yfi ydy'r Cadfridog Haranochi, y mwlsyn!... Skronyonyo! Rhyw hogyn ifanc wnaeth ymosod arna i a dwyn fy lifrai!...

Iawn, rwy mâs o'r golwg...

Ar ôl tri...

Dau...

Un...

Tri!

A dyma fi wedi magu bol... Da iawn, Milyn!

Nawr, dere i ni ei siapio hi at y Parth Rhyngwladol...

Dyma ni wedi cyrraedd...

Dim cam arall! Eich papura plîs!

Mae arna i ofn nad oes gen i bapurau... Ond fy enw yw Tintin ac...

Dim mynediad felly!

Ond drychwch, mae'n amlwg 'mod i'n dod o Ewrop...

Sori, dim mynediad!

Oes 'na broblem?

Sgynno fo ddim papura, syr...

Ond...

Fiw i chdi ddadla, washi... Rhaid i ti gael papura os am ddod i mewn.

Beth nawr?... Diawch, patrôl milwyr Japan, ac os na gaf i fynediad i'r Parth Rhyngwladol...

I ble'r aeth o?

Chwith? De? Wsti be...

Wnân nhw ddim dod i edrych amdana i yn fan hyn!

Hogyn ifanc, syr, wedi gwisgo fatha pobol Tsieina, ac mi ddudodd mai Tintin oedd ei enw fo...

Tintin? Dyna ddudodd o? Ti'n siŵr?

Drycha Milyn, wyt ti'n cofio ni'n dau'n tarfu ar yr olygfa yma pan oedd Mistar Rastapopolos yn saethu'r ffilm?*

Y DYDD

Y DATHLU MAWR AR DDIWEDD RAS YR WYDDFA

Wel, ia 'nde... Dyna fi 'di gneud hi i ben yr Wyddfa fawr... I fyny ac i lawr, cofiwch chi...

Côr yn cyfarth wrth i fyddigions gweriniaeth Poldomolda agor eisteddfod y cŵn...

Wowow! Wowow!

Bow Wow!

WOWOW! WOWOW!

Husht, Milyn!

Nôl yn Shanghai dychwelodd yr Athro Jai-Jin Tsioi, arbenigwr byd-enwg ar wallgofrwydd, o'i daith yn darlithio drwy America. Yn nhangnefedd ei ardd mae e bellach yn cael cyfle haeddiannol i orffwys...

Fe yw'r un i ddod â gwellhad i fab Mistar Wang!

Husssht!

Tewch!

Hei!

Wyt ti'n gwybod ble mae'r Athro Jai-Jin Tsioi yn byw?

Yndw siŵr...

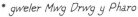

* gweler Mwg Drwg y Pharo

Ydy'r Athro Jai-Jin Tsioi adre?

Mae fy anrhydeddus feistr allan ar hyn o bryd, ond ni fydd yn hir cyn dychwelyd.

Rwyf yn ofidus - roeddwn yn disgwyl i'm meistr ddychwelyd erbyn deg... mae hi bellach wedi troi canol nos...

Felly, i ble'r aeth e heno?

Roedd gwledd er anrhydedd iddo yn cael ei chynnal gan hen gyfaill, Mistar Liou Ju-Lin, ar Rodfa'r Rhyddid Mwyn...

Reit, rwy'n mynd draw yno...

Beth? Oni gyrhaeddodd fy hen gyfaill adre'n ddiogel?... Rhyfedd yn wir... Rwy'n cofio iddo adael yng nghwmni un o'm gwesteion, Mistar Rastapopolos...

Rastapopolos yn Shanghai? Ble mae e'n aros?

I westy'r Plaza, ar unwaith!...

Dewch i mewn!

CNOC
CNOC
CNOC
CNOC

Noswaith dda, Mistar Rastapopolos!

Tintin! Dyma beth yw syrpreis!...

Rwy newydd ddod o dŷ Mistar Liou - mae'n debyg i chi adael yno yng nghwmni'r Athro Jai-Jin Tsioi...

Cywir, mi wnes i gynnig pas adre iddo, a'i ollwng wrth ben Stryd y Doethinebau Gwiw... Pam 'dach chi'n holi?...

Wnaeth yr Athro Jai-Jin Tsioi ddim cyrraedd adre...

Sut?... Ond braidd fod ychydig gamau i'w ddrws o'r man lle wnes i ei ollwng...

Ia?.. Ia, yfi sy 'ma... Beee? Ti 'di methu â'i ddal o?.. Y lembo gwirion!

Nid fi oedd ar fai, bos... Y porthor oedd yn araf i ddweud fod Tintin eisoes wedi gadael...

Drannoeth....

Does dal dim sôn am dy feistr?.. Rhyfedd... Bydd rhaid i mi geisio datrys hyn...

Diolch!

Reit, dilyn ôl traed yr Athro wedi iddo gamu allan o gar Rastapopolos...

Weli di'r pwllyn olew yna? Rhaid fod car wedi parcio fan hyn, rhywun yn disgwyl i gipio'r Athro...

Helo...

Wowow!

W. R. GIBWN
CYFARWYDDWR
HAEARN A DUR AMERITSIEINA CYF.
EFROG NEWYDD   SHANGHAI
53, Y BWND, SHANGHAI

Gibwn... Sai'n nabod yr enw...

Mae o 'di gwrthod rhoid enw, syr, ond mae o'n deud na fydd o fawr o dro...

Ty'd ag o i mewn.

Y ffordd yma, os gwelwch yn dda.

Eich cerdyn busnes chi, Mistar Gibwn... Fe wnes i ddod o hyd iddo ar Stryd y Doethinebau Gwiw, ger cartref yr Athro Jai-Jin Tsioi, wedi iddo ddiflannu neithiwr.

Diflannu?.. Wyddwn i mo hynny... Do, aru mi gwarfod ag o neithiwr, a rhoi fy ngherdyn iddo...

Roedd e'n swnio'n bryderus...

Stryd y Doethinebau Gwiw... Jai-Jin Tsioi...

Helo?... Dwi isho siarad efo pennaeth yr heddlu - fatha rŵan!

Ti sy yno, Sbensar? Dos efo un o dy ddynion i dŷ Jai-Jin Tsioi ar stryd y Doethinebau Gwiw, dwi isho i ti ddal Tintin a'i daflu i'r ddalfa!

I dŷ Jai-Jin Tsioi, ar unwaith!

O, chi sydd yno eto, syr... Dewch i mewn, rwyf newydd dderbyn neges oddi wrth fy meistr!

Neges?

Annwyl Tsien,

Rwyf wedi fy nghipio gan derfysgwyr sy'n mynnu ernes o 50,000 doler. Mae'n gwbl hanfodol nad oes neb yn cysylltu â'r heddlu, rhag i'r terfysgwyr fy lladd. Rhaid gollwng yr ernes ymhen pythefnos wrth yr hen deml sydd y tu allan i Hukow, ar lan ddeheuol afon Yangtse. Yn amlwg, does gen i mo'r fath arian i allu talu.

Rwy am fynd i chwilio am yr Athro... Wnei di ofalu am y pecyn yma yn y cyfamser? Mae'n bwysig ei fod e'n cael ei gadw'n ddiogel.

Reit, bos, mae Tintin wedi cael ei ddal...

Da iawn, Sbensar... Ty'd ag o i mewn...

Wnewch chi ddweud pam 'mod i wedi cael fy restio?

Dal dy ddŵr, hogyn... Mi ddallti di'r cyfan yn y munud...

Helo?... Swyddfa ffin Japan, ie?... Dudwch wrth y Cyrnol mai Dawson sy'n galw...

Dwi'n eich clywad chi... Be? 'Dach chi wedi dal Tintin?... Rhagorol!... Iawn, dyna ni, ymhen hanner awr... Hwyl i chi...

Mae hyn yn warth!... Tiriogaeth rhyngwladol yw'r Parth yma, a does gyda chi ddim hawl fy rhoi yn nwylo awdurdodau Japan!...

Wel, mi rydach chi'n hollol rong, yn hollol rong!... Ble mae'r papura sy'n rhoi caniatâd i chi fod yn y Parth Rhyngwladol? Heb bapura, mae gynnon ni bob hawl i'ch taflu allan... Tydy o'n ddim o 'musnas i os ydy'r Japaneaid am eich restio chi...

O fewn hanner awr...

Ie? Ie?... 'Dach chi 'di dal Tintin?.. Mi fydd o yn y cwrt fory? A'r achos yn para deuddydd?... Gwych!

Ac ymhen deuddydd...

Anrhydeddus feistr, mae Mistar Tintin yn garcharor i'r Japaneaid ac wedi'i ddedfrydu i farwolaeth! Mae'r posteri ymhobman!

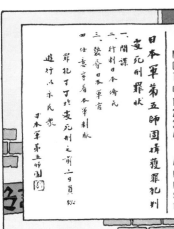

HYSBYSIAD

Mae Cyngor Rhyfel Pumed Byddin y Gwladychu wedi dedfrydu'r carcharor TINTIN i'w ddienyddio am fod yn euog o'r troseddau a ganlyn:

1. Ysbïo.
2. Bwriad i lofruddio dinesydd o Japan.
3. Ymosod ar uwch-swyddog.
4. Gwisgo lifrau ac arddangos medalau yn anghyfreithlon.

Am dridiau cyn ei ddienyddio, bydd y gŵr a ddedfrydwyd i farwolaeth yn gwisgo'r goler bren ac yn troedio strydoedd y ddinas fel moeswers i'r trigolion.

Ac am dridiau...

Fory, gyda'r wawr, bydd y daith yn dod i ben i Tintin... Bydd dim dianc i mi y tro yma...

Ydach chi wir yn meddwl y gwnaiff o dderbyn?

Beth nawr?

Cyfarchion, gyfaill...

Mitsutani!

Dod yma i'ch gwaredu, gyfaill, dyna fy mwriad... Yn wir i chi, rwyf yma i gynnig rhyddid!

Rhyddid?

Rhyddid ar ddau amod. Yn gyntaf, fe wnewch chi ddod atom i weithio fel gwrth-ysbïwr. Ac yn ail, fe wnewch chi ddatgelu i mi ble mae'r gwenwyn wnaethoch chi ei ddwyn...

Dyna'r cyfan?

Dyna'r cyfan. Os derbyniwch yr amodau, cewch eich rhyddhau heno gyda $10,000 yn eich poced!...

Wnaeth o wrthod...

Paid â deud...

Mistar Wang!

Rwy'n gwbl ddyledus i chi!

Peidiwch â chadw sŵn... Rhaid brysio, dilynwch fi!

Ar fy ôl... dyma'r ffordd allan...

Ydych chi'n dod?

Ydw, rwy yma, Mistar Wang...

O'r diwedd, dyma ni nôl yn fy nhŷ!

Eich tŷ chi?

Ie, tŷ wedi'i rentu y drws nesa i'r man lle cawsoch eich cloi mewn cell — yn ystod tridiau eich troedio'n foeswers o flaen ein dinasyddion, bûm wrthi'n ddiwyd yn cloddio'r twnnel i'r gell...

Rŵan, rhaid gadael y ddinas yn ddiymdroi, cyn i'r larwm gael ei seinio gyda'r wawr.. Ydy pob dim yn barod?

Ydy...

Mae'r carcharor wedi diflannu? Y rwdlyn! Os oes gen ti garcharor, yr un peth dwyt ti ddim yn ei neud ydy gadael iddo ddianc!... A be ddudith y cyrnol am hyn, duda?

Wedi diflannu? Y rwdlyn rwdls! Os oes gen ti garcharor, yr un peth dwyt ti ddim yn ei neud ydy gadael iddo ddianc!... Be ddudith y cadfridog am hyn, duda?

Y rwdlyn pen rwdan rwdls!.. Paid â gadael i neb o'r tu allan i ddod i glywed am hyn!...

Iawotokatomato! Mae Tintin wedi dianc!

Mae angen mwy o ddynion i warchod y pyrth rhag iddo ddianc o'r ddinas, neu mi fyddwn ni gyd yn gyff gwawd!

Giard o'r celloedd ddwedodd wrth fy mrawd fod yr hogyn Tintin wedi dianc o dan eu trwyna!

Y dihiryn Tintin wedi dianc, aie? Rhaid bod yn wyliadwrus felly...

Ble gebyst mae o?

Sarjiant, dyma fo'r hogyn...

Hylô... Be ddudoch chi?... Rhywun 'di dwyn un o'r moduron arfog?... Fedrith hynny ddim bod!... Reit, dwi'n dŵad 'wan!...

Pwy feddylie y bydde hi mor rhwydd dianc o'r ddinas?

Heb sôn am ddod o hyd i Milyn bach dewr yn crwydro'r strydoedd...

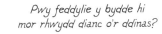

Pen rwdan, bob un ohonach! Dwi 'di cael llond bol, 'dach chi'n clywad? Skronyonyo! Tasan ni'n colli catrawd gyfan, fysach chi ddim yn sylwi fod dim 'di digwydd!

Felly atebwch hyn... Pam nad 'dach chi 'di mynd ar eu hola nhw? E? Neno'r tad!

Fedrwn ni ddim, syr, am eu bod nhw wedi difrodi'r holl foduron eraill...

A felly pam na wnewch chi anfon awyrenna ar eu hola nhw?

Mae oes ers iddyn nhw anfon yr awyrenna... Be felltith sy'n mynd ymlaen?

DRRRING

Dyna ni, syr, nathon ni ddod o hyd i'r modur wedi'i adael wrth ymyl y lôn, tua ugain milltir i ffwrdd... Doedd dim un enaid byw ar ei gyfyl, syr... Ond... Helo?.. Helo?..

Un pen rwdan ar ôl y llall!... Skronyonyo! A nawr sgin neb syniad ble mae Tintin!

Nawr, un cam ar y tro... Er mwyn achub eich mab, rhaid dod o hyd i Jai-Jin Tsioi... Ac yna fe awn i'r afael â Mitsutani a'i wehilion...

Fe wna i gychwyn am Hukow fory, ar lannau afon Yangtse – dyna ble mae'r sawl sy wedi cipio'r Athro am dderbyn taliad yr ernes...

Drannoeth...

Glywsoch chi fod llifogydd ofnadwy o'r afon?... Mae pawb yn ceisio ffoi... Dwi'n amau na fyddwch chi'n medru cyrraedd Hukow...

Be sy'n digwydd?

Fedar y trên ddim mynd ymhellach, mae'r rheilffordd dan ddŵr...

Pa mor bell yw Hukow?

Rhyw deirawr ar droed...

HELP!... ACHUBWCH FI!...

Mae e'n fyw!

Teimlo'n well nawr ar ôl llyncu hanner yr afon? Tintin ydw i. Beth yw dy enw di?

Tsiang Tsiong-Jen ydw i... Ond pam wnaethoch chi fy achub?

?

Onid yw'r gorllewinwyr gwelw oll yn ddieflig, fel y sawl a laddodd fy nain a 'nhaid flynyddoedd yn ôl adeg Rhyfeloedd y Dyrnau Cyfiawn? Dyna ddywedodd fy nhad...

Gwrthryfel y Bocser, ie...

Ond nid diafol yw pob un o'r gorllewin... Prin fod gwahanol bobloedd yn gwybod unrhyw beth am ei gilydd. Mae llawer yn Ewrop yn credu...

... fod pobol Tsieina yn dwyllodrus a dichellgar, yn gwisgo'u gwallt mewn plethen, yn mwynhau arteithio pobol ac yn bwyta wyau drwg a nythod gwenoliaid.

Mae'r un Ewropeaid anwybodus yn gwbl argyhoeddiedig fod gan bobol Tsieina draed bach, a'r merched yn diodde poen enbyd wrth lapio'u traed mewn rhwymau...

... rhag iddyn nhw dyfu'n draed mawr pan fyddan nhw'n oedolion. Mae 'na gred hefyd fod babanod bach newydd yn cael eu taflu i'r dyfroedd os nad yw eu rhieni eisie nhw.

Wyt ti'n gweld, Tsiang? Dyna syniadau dwl llawer o bobol am dy wlad!

Rhaid fod y bobol yn eich gwlad chi yn hollol wallgo!

Yn y cyfamser...

Gadfridog, mae gen i newydd i chi am Tintin...

Wyddost ti ble mae o?

Rydw i wedi derbyn gair iddo ddal trên heddiw yn teithio i Hukow...

Ond mae Hukow yn ddwfn ym mherfedd tiroedd Tsieina, a fedrwn ni mo'i gyffwrdd yn y fan honno...

Mae 'na un ffordd, Gadfridog...

Beth wnei di nawr, Tsiang?

Does gen i unman i fynd ers colli fy rhieni... Gaf i ddod gyda chi?

Mae pob math o beryglon lle dwi'n mynd...

Mi wynebwn y peryglon gyda'n gilydd...

Iawn 'te! Ymlaen â ni i Hukow!

Mi wn i am ffordd gynt i'r ddinas...

Mae hynna'n syniad gwych!... Cawn weld a fydd pennaeth yr heddlu yn cytuno...

O, 'swn i'n deud y bydd o, Gadfridog... Sbiwch...

Yr wyf i, J. M. Dawson, Pennaeth Heddlu y Parth Rhyngwladol, yn datgan fy mod yn ddyledus i Mistar Mitsutani am y swm o 10,700 doler.

J. M. Dawson

Shanghai 18/10/31

Wel wel, rhagorol!

Yn ddiweddarach...

Mistar Mitsutani?... Iawn, dewch ag o i mewn...

Bore da, Mistar Mitsutani! Ar ba awel deg y daethoch chi yma?

Rwyf yma i geisio cymwynas... Os cytunwch i'm cais, bydd yn dda gen i anghofio'r swm bach di-nod sy gynnoch chi'n ddyledus i mi...

Be di'r catsh, 'lly?

Yn syml iawn, mae Tintin erbyn hyn yn Hukow... Ac fe hoffwn i petai modd i chi ei restio fo...

Ond mae Hukow yn nhiriogaeth Tsieina... 'Sgin i'm awdurdod y tu hwnt i'r Parth Rhyngwladol...

Purion, ond wnai awdurdodau Tsieina ddim gwrthod caniatâd i chi fynd ar ôl gŵr o Ewrop, hyd yn oed y tu allan i'r Parth...

Ella fod hynny'n wir... Ond 'sgin i ddim rheswm i fynd ar ôl Tintin os nad ydy o wedi cyflawni trosedd...

Mi fedrwch chi greu rheswm... Be tasach chi'n amau fod gynno fo rwbath i neud efo diflaniad yr Athro Jai-Jin Tsioi, er enghraifft...

Mae hynny'n syniad...

Pencadlys heddlu Tsieina... Helo, Mistar Dawson... Ma' gynnoch chi wybodaeth am yr Athro Jai-Jin Tsioi?... Rydach chi eisiau caniatâd i'ch dynion erlid gŵr o Ewrop?... Wrth gwrs...

Bydd gynnon ni drwydded yn y bore, a bydd fy nynion ar drywydd Tintin yn unionsyth.

Unwaith i chi restio Tintin, mi gewch ei ryddhau oherwydd diffyg tystiolaeth... Ac yna mi geith o gerddad i mewn i'n crafangau ni...

Iawn... Ac yna mi gewch chi ganslo'r ddyled wirion yna...

Hukow...

Roedd gan fy nhad hen gyfaill yma yn Hukow... Efallai y cawn ni lety ganddo...

Wrth gwrs! O mor ddedwydd y bydd rhoi llety i fab fy hen gyfaill!

'Dan ni wedi sortio'r papura i gyd i chi, a bydd awdurdoda Tsieina yn gofalu amdanoch - bydd hynny'n hwyluso'r jobsan...

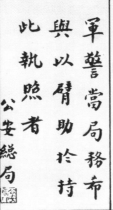

軍警當局務希 與以臂助於持 此執照者 公安總局

PENCADLYS YR HEDDLU

Cyfarwyddir holl awdurdodau Tsieina i roi pob cymorth yn ôl y galw i ddeiliaid y drwydded hon.

Diflas 'nde...

Yr hogyn wedi gwyro eto oddi ar y llwybr cul!

Tydy'r trên ddim yn gadael tan yn hwyrach heno, sy'n rhoi cyfle i ni'n dau baratoi...

Drannoeth...

Teithio drwy'r nos ar y trên, yna cerddad am deirawr... A dyma Hukow o'r diwedd!

Syniad doeth yw i ni ymdoddi i'r lliwia lleol...

Ia wir!

Dychmyga sut fysa pawb yn rhythu tasan ni 'di dod yma efo'n hetia bowler a'n ffyn cerddad...

Paid â sbio nôl, ond dwi'n credu fod 'na bobol yn ein dilyn ni...

45

! !

Helo!...

Rargian!

Grasusas!

Beth ŷch chi'ch dau'n neud fan hyn?

O diar, tasa fo 'mond yn gwbod...

Sut 'dan ni'n mynd i ddeu'tha fo?

Dewch o 'na... Be sy'n bod?

Ylwch hwn...

Gwarant ar gyfer fy restio i?...

Ac ylwch hwn... Mae holl awdurdodau Tsieina'n gorod ein cynorthwyo ni...

Rhaid i chi wneud eich dyletswydd felly. Rwy'n barod i ddod gyda chi...

Hwyl i ti, Tsiang. Mae'n rhaid i'r ddau 'ma fy restio i...

Rŵan am bennaeth yr heddlu lleol...

Rydan ni newydd restio'r hogyn yma, ac mae gynnon ni ddogfen efo ni sy'n rhoid caniatâd i ni blismona yn Tsieina... Raslas bach a mawr! Ble mae o?

Yn dy bocad arall, wrth gwrs!

Tydy o'm yn fan'no, chwaith!..

Rhaid 'mod i 'di adael o yn rhwla ar ôl ei ddangos i Tintin...

Fedra i wneud dim hebddo fo.

Hyfryd ddydd!

Ylwch, dyma fo!

!

? ?

Daria! Mae weiran y telegraff i Shanghai wedi'i difrodi gan y dŵr. Bydd rhaid i ni fynd yno efo'r negas ein hunain...

Os ydy'r weiran 'di mynd efo ni'n hunain, bydd rhaid difrodi Shanghai efo'r dŵr...

Mae'n codi'n storm, byddwn ni'n fwy diogel oddi ar y mynydd...

Ti'n iawn, Tsiang...

Yr un pryd, yn Hukow...

Dyma ti, negesydd bach... Efo'r newyddion fod Tintin wedi cael ei restio, dybiwn i!

"Wedi methu - mae Tintin yn dal yn rhydd. Beth wnawn ni nesa?" Fedra i ddim credu'r peth!

Dwi 'di cael llond bol ar hyn! Toes na'm un dewis arall 'wan ond i orchymyn lladd Tintin yr hogyn felltith!

Fedra i ddim diodda'r holl deithio ar y trên nôl a mlaen drwy'r nos!

A'r cyfan oherwydd y blwmin arolygydd yna...

Y bore wedyn...

Dyna'r hen deml y cyfeiriwyd ati...

Rhaid fod y deml yn denu twristiaid, Tsiang, os oes ffotograffydd swyddogol yma...

A gaf i dynnu llun ohonoch, wŷr bonheddig? Yn barod o fewn pum munud...

Ie?

Iawn!

Barod? Gwenwch... Dwedwch "crys chwys"!

BANG BANG BANG BANG

48

Damia'r peiriant! Mae'r gwn 'di jamio!...

Melltith arnoch! Mi ddysga i wers i chi am sticio'ch bys yn y briwas!

Cod dy ddwylo i'r awyr, neu caws caled fydd hi i ti!

Dwed y cyfan! O Japan wyt ti? Wyt ti'n trio cael gwared arna i ar ran Mitsutani?

Wel... Mae o'n gwbod fod y gwenwyn Raijajah gynnoch chi, ac mae o'n ofni y cewch chi afael ar foddion iddo fo os ffeindiwch chi'r Athro Jai-Jin Tsioi, dyna pam 'aru Mitsutani ei gipio fo...

Beth am y nodyn yn cyhuddo terfysgwyr o Tsieina?

Ffug oedd y cais am ernes, er mwyn tynnu'r heddlu oddi ar y gwir drywydd...

Dylsen i fod wedi dyfalu!

Ble mae'r Athro Jai-Jin Tsioi os nad yw e yn yr hen deml 'ma?

Dwn i'm...

Dwed y gwir!

Mi rydw i'n deud y gwir! Dim ond Mitsutani sy'n gwbod...

Bydd rhaid troi nôl tua Hukow felly... Ydy'r anaf yn ddifrifol, Tsiang?

Na, dim ond crafu'ch braich wnaeth y fwled...

Caiff heddlu Tsieina ddelio gyda'r dihiryn 'ma...

A dyna fe wedi'i gloi mewn cell. Nawr, Tsiang, os na ddaw Mitsutani aton ni, fe awn ni ato fe!... Cytuno?

Cytuno!

Ac i ffwrdd â ni tua Shanghai...

Dyma'r trên ar gyfer Shanghai...

Heddiw, ddoe a fory...

Ia wir, trên arall ar daith. Mae teirawr eto i gerdded tua Hukow... Dyma'r bywyd, Parry Bach, dyma'r bywyd!

49

Roeddwn i reit tu ôl iddo fo, ac yna mi faglodd dros y cês a syrthio ar ei drwyn i'r platfform... Anffawd unwaith eto...

Hei, frawd, wyt ti'n dwad at dy hun?

TINTIN!

Be am Tintin?

Yfo oedd ar y platfform, yn disgwyl y trên!

Ond mae'r trên am Shanghai ar adael!

Mam fach! Dyma fe Williams-Parry ar ein holau!...

Roeddwn i ar fin ei ddal o pan redish i allan o blatfform!

Rhaid i ni roi gwybod i Shanghai, ac mi fyddan nhw'n barod amdano fo pan neith o gyrraedd...

Ac yn Shanghai...

Dyna bob un o'r teithwyr oddi ar y trên... A dim sôn am Tintin...

Dim byd, bos... Rhaid ei fod o wedi dod oddi ar y trên yn ystod y daith cyn cyrraedd Shanghai...

Damia fo! Yr hogyn felltith, wastad yn cael y gora arnan ni!

Dere, Tsiang, mae hi wedi tywyllu...

Lwcus i ni neidio oddi ar y trên y tu allan i'r orsaf - 'sdim dwywaith fod yr heddlu wedi bod yn disgwyl amdanon ni...

Mistar Mitsutani?.. Dawson, sydd yma... Mae arna i ofn ei fod o wedi llithro drwy'n bysadd ni unwaith eto... Ond dalltwch, 'dan ni 'di gneud ein gora...

Be haru'r ffyliaid yna! 'Sgin i'm dewis ond sortio'r cyfan allan fy hun!

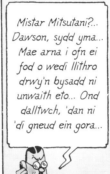

Dewch i mewn!

CNOC
CNOC
CNOC

Syr, mae Tintin yn Shanghai... Welish i fo'n dal tacsi yng nghwmni hogyn o Tsieina, ond glywish i mo'r cyfeiriad nathon nhw ei roid i'r gyrrwr...

Piti garw... Yli, Yamato, dos di i ffeindio ble mae o'n cuddiad, a phwy sy'n ei guddiad o! Wyt ti'n dallt?

Yndw.

Ymgrymaf ger bron y nef am y fraint o gael cyfarfod eto... Rhaid i chi orffwys am ychydig ddyddiau er mwyn gwella o'ch clwyf...

Iawn... cyn mynd i'r afael â Mitsutani!

Ymhen wythnos...

Ydy'r fraich dal yn boenus?

Nagyw, Tsiang, mae'n well - cystal ag erioed!

A'r noson honno...

Dyma dŷ Mitsutani - cadw di lygad ar bethau fan hyn tra 'mod i'n mynd i mewn...

Iawn...

'Sdim awgrym fod neb yma...

Wyt ti'n siŵr fod Tintin yno 'wan?..

Yndw tad!... Mae o 'di bod yng nghartra Wang ers wsnos...

Rwyt ti'n iawn, Yamato... Daria! Dwi'n ysu i gael fy machr ar bob un ohonyn nhw!

Dewch, brysiwch, mae'n glir...

Be sy? Be sy wedi digwydd?

Fe wna i esbonio ar y ffordd... Dere, Tsiang, does dim amser i'w golli...

Rhaid i ni ddod o hyd i gar ar frys!

Dyna un, o'r diwedd...

Clywch, fedrwch chi fynd â ni i ffordd Nanking ar unwaith?

Hei, nage tacsi ydw i, car preifat yw hwn, gwboi...

'Sdim ots am hynny!... Plîs, mae bywydau yn y fantol!

Yr ateb, gwboi, yw "na"!

Mae Mitsutani yn gwbod popeth, ac yn bwriadu cipio Mistar Wang heno, gyda'i wraig a'i fab, a ni'n dau os byddwn ni yno...

Gyrhaeddwn ni mewn pryd?

Mae'n dawel 'ma...

Mae'r drws ar agor!

Gwas Mistar Wang yw hwn, wedi'i daro'n anymwybodol...

Rhy hwyr! Maen nhw wedi cael eu cipio!

Mae'r gêm ar ben i chi, Mistar Wang... Dim ond Tintin sydd ar ôl, ac ymhen ychydig oriau mi fydd o wedi peidio â bod yn draffarth i mi mwyach!

Tintin!

?

Edrychwch ar hwn...

!

Alaw'r Dŵr Wang.

Rhaid brysio!

I Alaw'r Dŵr!

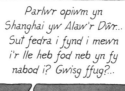

Parlwr opiwm yn Shanghai yw Alaw'r Dŵr... Sut fedra i fynd i mewn i'r lle heb fod neb yn fy nabod i? Gwisg ffug?...

A fydd unrhyw beth arall, syr?

Dim byd, diolch yn fawr i chi...

Mae o yma...

Wyt ti'n siŵr mai fo ydy o?

Er iddo fentro ein twyllo efo gwisg ffug, feistr - barf mawr du a chelwyddwallt - mi wn i mai fo ydy o...

Ty'd i ni gael ychydig o hwyl!

CHWIIIB

O na! Pwy yw'r mwncwn hyn?!

BANG

Dyna fo, mae o'n haeddu rêl stîd!

AW!
BWMP
BOINC
WFF!

Fy syniad i, gyfaill mwyn, oedd y darn papur yna ag enw Alaw'r Dŵr yn llawysgrifen Mistar Wang...

Nefi, mae hyn yn warth!

He! He! Ella wir, ond ma' gynnoch chi wynab yn protestio!

AW!

IAWCS!

Nid Tintin ydy hwn! Ewch ag o oddi yma!...

Llysgennad gweriniaeth Poldomolda ydw i, nid Tintin! Bydd canlyniadau difrifol i hyn!

Maddeuwch i mi, syr... Camgymeriad... Eich camgymeryd am rywun arall...

Does gen i mo'r ots! Mae hyn yn ffordd warthus i drin unrhyw un! Cewch dalu am hyn!

Iawotokatomato!... Arhoswch nes i mi gael gafael ar y cythral felltith!

Reit, dwi'n mynd adra!... Yamoto, dwi isho i ti fod yn barod ar y cei ganol nos fory... Bydd cwch y Takiko-Sumi wedi angori yno, ac mi fyddi di'n llwytho'r cargo i'r cerbyd a'i gludo i'r warws...

Iawn, feistr...

Iawn... Rho alwad ar y ffôn os oes unrhyw ddatblygiadau...

Siŵr iawn...

Dwi'm yn gweld Tintin yn dod, wsti...

Na, mi fydd o'n amau gormod...

Ha! Ha! Pob gair yn air i gall...

ALAW'R DŴR

Pa newydd?

Gwybodaeth ddiddorol iawn, Tsiang... Fe wna i ddweud y cyfan unwaith i ni ei heglu o 'ma...

Ganol nos yfory? Mi ddof i gyda chi...

Rwy'n credu bydd hi'n well os âf i ar fy mhen fy hun, Tsiang...

Y noson ganlynol...

Gan bwyll, dyna nhw...

Dyna'r cyfan, ia?

Ia... Byddwn ni'n barod i fynd unwaith i ni lwytho'r rhain...

Does neb wedi 'ngweld i...

Gwagau'r opiwm o'r gasgen, ac i mewn â fi...

Reit 'ta, fedrwn ni fynd rŵan...

Yn y cyfamser...

Camgymeriad, f'annwyl Mistar Wang, oedd mentro yn fy erbyn i! Cam gwag! Ond mae'n rhy hwyr i newid unrhyw beth rŵan... Daeth yr awr i chi wynebu'r farn fawr!

A pha reswm sy gynnoch chi i wenu? Achubiaeth a ddaw, ella? Rhyw arwr yn dod i'r adwy i achub eich bywyd? Maddeuwch i mi am wfftio, ond does dim golwg o Tintin, eich arwr bach, yn rhuthro yma ar fyrder!

Dwyawr o daith yn barod... 'Sgwn i...

Cewch anobeithio'n llwyr yn awr! Maen nhw'n dweud nad oes ofn marwolaeth ar wŷr Tsieina... Wel, Mistar Wang, eich braint fydd cael eich mab gwallgof eich hun i dorri'ch pen i ffwrdd! Dychmygwch, eich mab gwallgof yn eich dienyddio chi, eich gwraig, a Tintin yn ogystal!

Yamoto! Aeth y cyfan yn hwylus?

Yn hwylus iawn, feistr. Mae'r barils i gyd yma...

Dewch gyda mi, Mistar Wang, mae'r sioe ar ddechrau!..

Reit, i ffwrdd â ni...

Dyma'r baril, feistr, yr un â chroes arni...

Tintin bach annwyl, croeso i ddiwedd y daith!

56

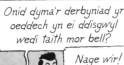

Onid dyma'r derbyniad yr oeddech yn ei ddisgwyl wedi taith mor bell?

Nage wir!

Gwyddwn o'r gorau eich bod yn cuddio yn y baril... Mae'n siŵr i chi gael hwyl am fy mhen ym mharlwr Alaw'r Dŵr neithiwr... Clywsoch fy nghyfarwyddiadau i Yamoto, ac roedd eich cynllun yn gweithio'n berffaith... nes i un o'm gweision eich gweld yn gadael...

Roeddwn yn gwbl ffyddiog y byddech yn mentro... Derbyniodd fy ngweision orchymyn i roi rhwydd hynt i chi ddringo ar gefn y lori ac i mewn i'r gasgen, a dyna'n union y gwnaethoch chi, diolch yn fawr!

Rhagorol, Mistar Mitsutani, rŷch chi'n ddyn clyfar iawn!

Yn fwy clyfar nag i chi erioed ei ddychmygu... A dyma hen gyfaill i chi, yma'n unswydd er mwyn bod yn dyst i'r diwedd!

Dyma fe, barchedig bennaeth...

Rastapopolos!

S'mae!

Roberto Rastapopolos! Rwyt ti wedi meflu gormod arna i erbyn hyn - fi, Rastapopolos, brenin y smyglwyr cyffuriau! Rastapopolos, y tybiodd pawb ei fod wedi syrthio i'w dranc dros y clogwyni ger Pajamagoulan... Dyma fi, Rastapopolos, yn fyw ac iach, ac yn fuddugoliaethus unwaith eto!

Chi yw pen-bandit y smyglwyr?

Yamoto, tyrd â'r lleill i mewn...

Dwyt ti ddim yn fy nghredu?... Edrycha ar hwn... wyt ti'n fy nghredu nawr?

Nod y Pharo Cih-Osgh!*

Hwda, i chdi mae hwn...

Geiriau doeth Laozi, "Ceisiwch y ffordd"... A ffordd yr oleuedigaeth yw i dorri pen pob un ohonoch i ffwrdd, ac yna cewch chithau wybod y gwirionedd...

Ac mi rydach chi'n hollol sicr nad oes unrhyw berygl i ni yma?

Dim o gwbl — bydd Yamoto yn gofalu amdano unwaith iddo gwblhau ei waith...

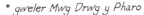

* gweler Mwg Drwg y Pharo

Da iawn, Tsiang!...

Dwylo i fyny!...

Llwyddiant!

Ar y gair, Tsiang, amseru perffaith!

Ac aeth popeth yn ddigon rhwydd wrth drechu criw y Takiko-Sumi...

Ymgrymaf gerbron gwroldeb glew eich ieuenctid, Tsiang!

Rŷch chi'n rhydd, Misus Wang!

Nawr, gyfeillion, fy nhro i... Oeddech chi, Mistar Mitsutani, yn ddigon twp i gredu y byddwn i'n camu'n ddall i ffau'r llewod?... Rhaid eich bod yn credu 'mod i'n hanner call a dwl!

Rôn i'n gwybod yn iawn eich bod wedi 'ngweld i ym mharlwr Alaw'r Dŵr, felly roedd angen cymryd camau doeth cyn mentro i'r cei... Neithiwr, trechwyd criw y Takiko-Sumi gan Feibion y Fflam, cyn i sawl un o'n cyfeillion guddio yn y casgenni tra bo'r lleill yn rhoi help llaw i'ch dynion i'w llwytho... Ac fe wyddoch chi weddill y stori...

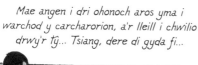

Mae angen i dri ohonoch aros yma i warchod y carcharorion, a'r lleill i chwilio drwy'r tŷ... Tsiang, dere di gyda fi...

Mam fach!... Dyma ni'n dod allan drwy'r sêff...

Arogl rhyfedd... Mae'n debyg i...

Arogl opiwm!

Alaw'r Dŵr!

BANER AC AMSERAU SHANGHAI

上海報

YR ATHRO JAI-JIN TSIOI YN GARCHAROR
MEWN PARLWR OPIWM

SHANGHAI, DYDD MERCHER:
Daeth y newydd heddiw fod yr Athro Jai-Jin Tsioi wedi'i ddarganfod yn ddiogel ar ôl ei ddiflaniad ar y ffordd adref o wledd a roddwyd gan gyfaill iddo. Heb unrhyw dystion i'r diflaniad, method yr heddlu â dod o hyd i'r Athro.

Ymunodd Tintin, y gohebydd ifanc o Ewrop, yn yr helfa i geisio dod o hyd i'r gwyddonydd. Cafwyd adroddiadau am Tintin yn ymrafael

Yr Athro Jai-Jin Tsioi ar ôl iddo gael ei ryddhau o'i gaethiwed yn nwylo smyglwyr cyffuriau

â lluoedd Japan ar dir Tsieina, cyn i gyfrin gymdeithas Meibion y Fflam ddod i'r adwy. Mae aelodau'r giang o smyglwyr cyffuriau rhyngwladol a wnaeth gipio'r Athro Jai-Jin Tsioi erbyn hyn yn y ddalfa dan glo.

Daethpwyd o hyd i ddarlledydd radio ym mharlwr opiwm Alaw'r Dŵr, a ddefnyddiwyd gan y smyglwyr i gyfathrebu gyda fflyd ar y moroedd – gwybodaeth am dramwyo diogel, porthladdoedd i'w hosgoi, mannau glanio a dadlwytho.

Archwiliwyd cartref gŵr o Japan, Mitsutani, gan yr heddlu, ac mae rhai adroddiadau'n awgrymu atafaelu dogfennau cyfrinachol yno. Ni ddaeth cadarnhad ychwaith i'r awgrym fod y dogfennau yma'n cynnwys gwybodaeth am weithgareddau gwleidyddol llwgr gan wladwriaeth gyfagos, ond amheuir eu bod yn datgelu y bu'r digwyddiadau diweddar ar rheilffordd rhwng Shanghai a Nanking yn gyfle bwriadol i ymestyn presenoldeb milwrol Japan ar dir Tsieina. Bydd y dogfennau yma'n cael eu trosglwyddo at sylw swyddogion Cynghrair y Cenhedloedd yn Genefa.

STORI TINTIN
ARWR Y DYDD, MISTAR TINTIN, FU'N SGWRSIO GYDA NI AM EI ANTURIAETHAU

Mistar Tintin, gyda'i gi bach ffyddlon Milyn, a fu mor allweddol yn sicrhau rhyddid i'r Athro Jai-Jin Tsioi. Wynebodd y gohebydd ifanc lu o beryglon wrth y fenter hon

Mae croeso arbennig i'r gohebydd ifanc Tintin yn un o gartrefi moethus y dalaith hon. Mistar Wang Jen-Ghié, sy'n berchen ar dŷ hardd ar y ffordd o Shanghai i Nanking, sy'n rhoi llety i arwr yr awr, Tintin. Mae llawenydd Tintin yn amlwg – yn wên o glust i glust wrth ymdoddi i liwiau Tsieina yn nillad traddodiadol en gwlad. Yn wir, tybed ai'r cyfaill hapus hwn oedd achos cwymp y drwgweithredwyr yn Shanghai?

Disgrifiodd Mistar Tintin sut y llwyddodd i chwalu rhwydwaith y

smyglwyr peryglus, er i'w fywyd a'i ddiogelwch ei hun fod yn y fantol yn ystod y fenter beryglus.

Gyda gwên fach ddireidus, meddai'r henwr Mistar Wang, "Rhaid datgan i'r byd mai i Tintin y mae'r diolch yn llwyr am fy mod i a'm gwraig a'n mab annwyl yn fyw heddiw!"

Torf lawen Shanghai yn codi baneri yn dangos llun Mistar Tintin ar hyd strydoedd y ddinas

---

Nid oes lle i amau yn dilyn casgliad ymchwiliad yr is-bwyllgor fod yn y dogfennau a atafaelwyd yn Shanghai brawf pendant fod yr ymosodiad ar y rheilffordd rhwng Shanghai a Nanking wedi'i gynllunio'n fanwl gan unigolyn o Japan dan orchymyn llywodraeth ei wlad...

Hoffwn i glywed ymateb cennad Japan...

Finna hefyd, mae o ar fin traethu...

Gyfeillion, deallwch yr hyn sydd gen i i'w ddatgan yn glir, fy mod yn gwrthod holl gyhuddiadau adroddiad is-bwyllgor 873. Sen yw'r cyhuddiadau, a braint Japan yw gwrthod ymateb yn llafar-aflafar. Ond, fel prawf o ddidwylledd llwyr fy ngwlad...

... cyhoeddaf bod llywodraeth Japan wedi gorchymyn tynnu ei lluoedd yn ôl o'r tiroedd yr ymestynnwyd iddynt wedi'i digwyddiadau ar y rheilffordd rhwng Shanghai a Nanking. Yn ychwanegol at hynny, gresyn gennyf gyhoeddi, mewn ymateb i sen y cyhuddiadau yn erbyn fy ngwlad, fod Japan yn ildio ei phriod le yng Nghynghrair y Cenhedloedd!

ALLAN →

Ac yn Shanghai...

O hyfryd ddydd! Mae fy mab wedi gwella o'r gwallgofrwydd... Daeth yr Athro Jai-Jin Tsioi o hyd i foddion i'r gwenwyn...

Dyna yw newyddion da!

Hybarch feistr, daeth dau ŵr yma yn ceisio gair efo Mistar Tintin.

Henffych fora... Ym... Dyma ni, o'r diwadd...

Felly... Dyma chi...

Yn wir, hen fora ffych... Dyma'n diwadd ni...

Mi rydan ni yma i estyn llaw cyfeillgarwch a llongyfarchiadau... ym, llaw llongyfeillgarwch...

Nathon ni fyth mo'ch amau, cofiwch, ond doedd gynnon ni ddim dewis heblaw dilyn gorchmynion...

Mae o'n dân ar fy nghroen i weld dathlu llwyddiant y brych bach yna!

Be arall fedrwn ni neud?

Tintin, edrychwch!

HELYNT ALAW'R DŴR

HARAKIRI MITSUTANI

SHANGHAI DYDD SADWRN

Cafwyd Mistar Mitsutani, a fu ynghlwm â helynt smyglwyr cyffuriau Alaw'r Dŵr a'r cyrch ar y rheilffordd rhwng Shanghai a Nanking, yn farw mewn pwll o waed yn ei gartre

O na... Dim ond drwg a ddaw o ddrygioni...

A chi'ch dau... Rwy'n falch eich bod wedi gwella ers y gwymp 'na...

Cwymp?... Pa gwymp?...

Y gwymp tin-dros-ben yn Hukow, 'mwn!

O ia, dwi'n cofio 'wan!... Grasusas, sut fedrwn i anghofio hynny!

Mi rydan ni'n holliach 'wan, diolch i'r drefn... Rargian, sut nath dau hogyn call fatha ni syrthio mor ddi-urddas ar ein trwyna?!

Wnawn ni ddim anghofio'r ffasiwn ffwlbri... Gofal pia hi o hyn ymlaen!

Ia, coeliwch chi, anghofiwn ni ddim fod ffwlbri mewn ffasiwn!

Llygaid ar agor, yn sbiad tuag ymlaen, nid tuag yn ôl!

Yn union, ac mae'n amsar i ni ffarwelio am y tro...

Yn barod?

Teg edrych...

Tuag adre!

Ymhen ychydig ddyddiau...

Codaf lwncdestun yn enw pob iechyd da i chwi, Tintin. Daeth eich dewrder a'ch gwrhydri â llawenydd yn ôl i annedd lon fy nghartref llwm, a bydd yr atgof amdanoch wedi'i naddu'n gain ar fy mynwes mor berffaith â chywreinrwydd grisial wydr...

A phetai'n bosib i unrhyw un hiraethu'n fwy na mi wrth i chi ymadael, yna Tsiang ydy'r person hwnnw... Wedi tristwch colli ei rieni, cafodd Tsiang frawd ynoch chi. Os bydd hynny wrth ei fodd, caiff Tsiang fod yn fab i mi, ac yn frawd i'm mab Hoian sydd heddiw wedi dychwelyd i'w goed diolch i Tsioi, ein cyfaill cu...

Be sy'n bod, Tsiang bach?

Daeth enfys ogylch fy nghalon, Misus Wang... Rwyf yn wylo oherwydd ymadawiad Tintin, ac eto daeth heulwen drwy'r cymylau wrth i mi gael mam a thad o'r newydd!

Ffarwel i'r gwron Tintin! Boed i gyfeillgarwch dyddiau'r dyfodol fod gyda chwi ar dramwy'r hirdaith yn ôl tua'r gorllewin!

Drannoeth...

Pob hwyl i chi ar eich taith, Tintin.

Ac i ti, Tsiang... Hwyl fawr!

TŴŴŴT

TŴŴŴT

HERGÉ.

62